D0121972

Tant l'avenir est tant et tant

ÉCRITS DES HAUTES–TERRES

Tant l'avenir est tant et tant

MICHELINE DANDURAND
LOUISE LAFRENIÈRE

COLLECTION « GÉLIVURES »

Écrits des Hautes-Terres
42, rue Henri
Montpellier (Québec)
Canada J0V 1M0
Téléphone : **(819) 428-2337**
Télécopieur : **(819) 428-2338**
Adresse électronique : **info@hautes-terres.qc.ca**
Site Internet : **www.hautes-terres.qc.ca**

Nous remercions le Conseil des Arts du Canada de l'aide
accordée à notre programme de publication. Les Écrits des
Hautes-Terres reçoivent aussi l'aide de la Sodec, Société
de développement des entreprises culturelles.

Diffuseur
PROLOGUE INC.
1650, boulevard Lionel-Bertrand
Boisbriand (Québec)
Canada J7H 1N7
Téléphone : **(450) 434-0306**
Télécopieur : **(450) 434-2627**

ISBN : 2-922404-37-4

Dépôt légal :
Bibliothèque nationale du Québec, 2002.
Bibliothèque nationale du Canada, 2002.

Un gros merci

*pour leur générosité,
leur sensibilité et leur rigueur à*

*Rachel Côté
Élise Dandurand
Pierrette Lambert
Lucie Lasalle
Monique Letarte et
à Pierre Bernier
et sa merveilleuse équipe*

AVANT-DIRE

Tant l'avenir est tant et tant, deux femmes se lancent dans une aventure d'écriture à quatre mains. Les imaginaires se jumellent. La solitude de l'acte créateur éclate. Les mains jazzent et forgent une histoire. Les mots et les images redonnent à la mémoire une couleur de chair et d'os, allègent le poids de l'héritage en sondant l'insignifiance et la profondeur des petites choses, parlent de la petite vie et de la grande, de rien et de tout.

L'histoire a trois voix qui s'interpellent, se répondent, se relancent.

La première, à gauche, est la voix poétique d'une parole intime, celle de Léonie, qui se construit et se déconstruit. Elle fait écho de près ou de loin à la troisième voix, à droite, le récit d'un épisode dans la vie de Léonie.

La deuxième, au centre, est la voix des autres, que l'on porte malgré soi, avec ou sans plaisir. Tantôt elle prolonge les deux autres, tantôt elle les bouscule, les tourne en dérision ou s'en écarte.

À la fin, les quatre mains se taisent pour que les vers se propagent en infinis possibles.

Tête de lune
Verrouille la porte
Piano d'en haut
Baisse la radio
Rayon blanc
Plage bondée

Tire d'enfant
Draps d'érable
Sapin chantant
Sors de la lune
Plage déserte

Léonie rêve d'ailleurs.

Jadis enfant silencieuse
Je me trémoussais de désaccord
Parlementais avec les fées
M'échappais parfois
Chassais les temps gris
Foulais le sable du château
Et les valets n'en savaient rien

À propos
Je connaissais bien la tour Eiffel
Je n'écrivais jamais au tableau
J'étais gauchère, ce n'était pas beau

Léonie rêve d'ailleurs.
Léon devinera-t-il ?

N'oublie pas
Arrose les plantes
Verrouille la porte
Brosse-toi les dents
Lève-toi

À propos
On pouvait rire au déjeuner
Tout le monde riait
Mais les levers m'étaient cruels
Le soir mon père disait
« Je me démène pour votre bonheur »

J'aimais la vie quand c'était dehors

À propos
Mon père remerciait Dieu
De ne pas être une femme

Des trous du ciel il y en avait
Surtout les soirs de fin de semaine
Dans la maison avec les cris
Quand je priais avec ma sœur
Les mains liées la bouche en cœur
Pour que demain on m'aime certain

À propos
J'ai échoué en bio
Je n'aime pas mes doigts de pied
Et on m'a traitée de tricheuse
Quand j'ai gagné le trophée en géo

Mamie chantait
« Je t'aime je t'aime cocotte cocotte »

À propos
La bêtise me rend bête
J'ai horreur de l'ambivalence
Je déteste les départs
Je refuse les bananes et les pommes et les poires
Quand on les coupe en deux

À propos
J'aime mieux manger que dormir
J'aime mieux rire que pleurer
J'aime les glaçons quand il fait chaud
Les bisous partout partout
La magie et l'Italie
Les souris quand elles sont blanches
J'aime les portes entrouvertes
Les robes du dimanche
Les garçons qui ont de la façon
J'aime les châteaux de sable
Les yeux fermés
Les saules pleureurs

Tant de désir
Ne peut mener qu'au combat

À propos
Le jour de mes quinze ans
J'étais seule

J'aime la valse et le tango

Et puis il y a Léon

Léonie rêve d'ailleurs.
Léon devinera-t-il ?
Léon ne devine jamais.

A fait le souper I lave son char
A souhaite son bonheur I souhaite le sien
I est en retard et puis après
A se couche quand I déjeune
I tend la joue quand A s'en va
I se distrait quand A s'explique
A vit sa peine à quatre épingles
A se découvre et I se perd
I offre des fleurs A cause voyage
I reprend ses roses A garde le vase
I fait son bonheur A fait le sien
A parcourt mers et mondes
A lui laisse plus d'espace
I croit qu'A l'abandonne
I regarde A qui regarde ailleurs
I suit A qui s'enfuit
A s'arrête I court après
A parle d'amour I court toujours
I passe tout droit d'I sait pas quoi
I écoute A qui ne parle plus
I attend demain qui ne vient pas

A ne se comprend plus I fait semblant
I n'a d'yeux que pour A
A regarde I qui vient vers A
A veut et I ne veut plus
I a des épingles sous la peau
A les retire I se démène
A se blottit dans le dos d'I
I cause bonheur
A ouvre la fenêtre I la referme
I se frotte les yeux
I a froid A ferme la porte
A grelotte I ferme la porte
Et puis après

Léon devinera-t-il ?
Léon ne devine jamais.

Porte la porte
Plante la plante
Dente tes dents
Élève-toi

Léonie rêve d'ailleurs.

Il pleut encore
A se souvient
Un baiser sur les yeux
Il pleut
Tant pis tant mieux
I vient près d'A
A prend I dans ses bras
A demande ce qu'I aime
I sait seulement ce dont I rêve
A regarde I
I caresse A
I prend le temps qu'il faut
A s'allonge sur la joue d'I

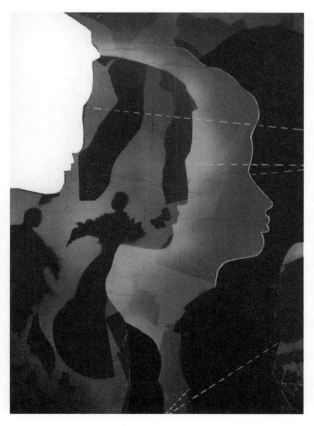

Silence (détail A), Pierrette Lambert

Léon devinera-t-il ?
Léon ne devine jamais.
Léonie rêve d'ailleurs.
Juste un peu.

Ma fragilité se tricote un espace
J'entends mes veines se tendre
Mon sang se plaindre
Je parle d'autre chose
M'enfante sourdement de paroles inventées

Boule, bouboule, boulet, boulon
Boulonne, boudou, mondou, montour
Bontagne, boulogne, bosogne, bologne
Bâtonne, bâton, basta
Baleine, haleine, allie
Baba, bada, badaboum, boum boum

Léon devinera-t-il ?
Léon ne devine jamais.
Léonie rêve d'ailleurs.
Juste un peu.
Demain c'est lundi.

Entre le sommeil et l'éveil
J'ai une telle soif
Je me fais soleil
Je me fais vent
Je me fais roi
Je me fais reine
Une aile à la fois
Je dénude mes peines
Je me fais joie
Un brin d'herbe
Je chute
Printemps, relève-moi
J'ai soif, ranime-moi
Découvre-moi tienne
Couvre-moi de ta sève
Je ne veux plus mendier
Donne-moi que je prenne
Je ne veux plus tricher
Ni déjouer le mal
Ni faire comme si

J'ai soif de l'été

Léon devinera-t-il ?

Léon ne devine jamais.
Léonie rêve d'ailleurs.
Juste un peu.
Demain c'est lundi.
Léonie rêve d'ailleurs.

Un autre hiver
Je rêve de cristal
Un vœu par flocon
Je frissonne
J'ignore ce qui s'en vient
L'iceberg prend le large
Je n'ai aucun ancrage
La nuit m'offre des aurores boréales
Je m'y accroche
Je tombe

Je tombe dans l'absence
Je flâne en ses recoins
La bise glisse entre mes doigts
Déclenche une avalanche
Je suis boule de neige
Pleine de désirs inassouvis
Je craque
Me fends
Me pourfends
Je déboule en riant
Le vent siffle
Je me défais en grêlons vierges
Je goûte les brisures de glace
L'hiver se confie
Entre ses silences interstices
Sa blancheur me pénètre
Je goûte le blanc
Je fais vœu de clarté

Léon devinera-t-il ?
Léon ne devine jamais.
Léonie rêve d'ailleurs.
Juste un peu.

Demain c'est lundi.
Léonie rêve d'ailleurs.
Juste assez pour y aller.

Je vide le sablier
Préfère une mémoire courte
Je ne veux plus dormir
Éveille mon âme à la partance
Le nez dans le vent
Je me propulse
Hors des parfums familiers
Par où s'échappe ma vie

Comme une voleuse
Je me dérobe
Je mue
Je migre
Je m'en vais piauler ailleurs
Me dérouter
Me dériver
Me dérider
Et puis me vaincre aussi

Je me donne une plume acerbe

Viens
Allez viens danser
On déroulera la terre
On enjôlera la mer
On brodera des îles
Que nos corps prennent le large

Je me donne des airs rebelles
Je m'enfuis

Léon devinera-t-il ?
Léon ne devine jamais.
Léonie est ailleurs.
Juste un peu.
Juste assez.
Léon ne sait pas.
Ne veut peut-être pas savoir.

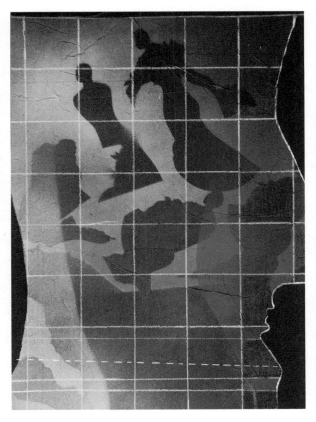

Silence (détail в), Pierrette Lambert

Le vagabondage me sied
Je suis mon nez

« ... Vous... vous avez un nez... heu...
un nez... très grand.
Très.
Ha !
C'est tout ?...
Mais...
Ah ! non ! c'est un peu court jeune homme !
Souffrez, monsieur, qu'on vous salue,
C'est là ce qui s'appelle avoir pignon sur rue !... »[1]

Je suis mon cœur
Je suis mes pieds
Je suis courbe
L'avenir est loin
Je m'enfarge
Sur un rien
Je laisse en chemin
Un fil blanc
Un fil vert
Mes émotions en écharpe
Je me défile

Mes cheveux se détachent
J'ai froid au crâne
J'ai chaud au ventre
Rouge je me consume
J'erre insoumise
Aux poussières de froid
Décalage de mes sens
Je ne sais plus dormir
Je passe le temps

Mes croyances sont mes geôlières
Je redeviens prisonnière
Tout aussi vagabonde

Léonie s'ennuie.
Elle lève les yeux vers le ciel.
Les nuages sont gris.
Elle s'amuse de leurs formes.

Belle au bois dormant
Juchée sur le fuseau de son horaire
Espoir d'entrevoir l'avenir
Pour des siècles et des siècles

Puis, Léonie rentre à la maison.
Défait ses bagages et emporte une clé.
La porte de la remise sort de ses gonds.
Léonie tire la chaloupe jusqu'à la berge.
Elle embarque.
La baie est calme, les eaux dorment.

Sur mon épaule
Une mésange attend
Un oiseau perdu je crois
Je me secoue
L'oiseau ne s'envole pas
Ciel trop vaste peut-être
Il ne sait plus
Nous trouverons lui dis-je

Je marche
Nous voilà au bout du monde
Nous regardons la mer

Que de vagues pour faire une rivière
Que de vagues pour aplanir les flots
Nous regardons la mer
L'oiseau ne s'envole pas

Je me gonfle
Je nage
Je m'essouffle
Je m'arrête sur un coin de terre
Le soleil plombe
Je suis aveugle

Aucun signe à l'horizon
Mémoire enfuie
Second souffle
Nous repartons au large
Nuit après nuit
Sans direction
Sans limite
Sans racine
Le corps fatigué
J'échoue
L'oiseau s'envole

Elle rame vers l'île.
Elle aperçoit Léon
sur le pont.
Elle s'arrête.

Léon croit que je suis cathédrale
Clocher pointé vers l'avenir
Que j'arbore l'élégance
Que je me déploie
Ange
Tenant ma note
D'une voix blanche
Jusqu'au vertige
Titillant l'horizon
Jusqu'à la déraison
Poings fermés bras ouverts

Léon croit aussi qu'il est cathédrale
Cathédrale d'hier
Pierres ancestrales
Usées par les rafales
Ensevelies à chaque lune
Il peine à respirer
Entre toutes les ombres
Son clocher s'effondre

Un mensonge brouille nos lignes de vie
Nous prolongeons son mystère
Nous traçons et retraçons
Il se dresse je me redresse
Je me dénoue la gorge
Il abandonne
L'histoire se compose
Trompeuse onduleuse

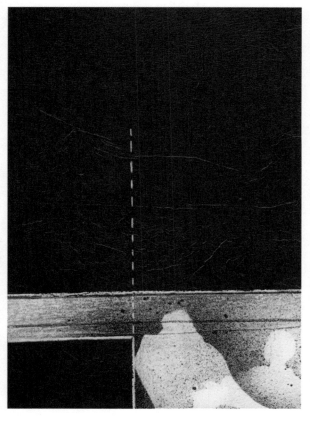

Bruyance (détail A), Pierrette Lambert

De là-haut,
Léon regarde vers le large.

Léonie se dirige vers le rivage pendant que la nuit s'installe.

« *Avant toi d'autres sont venus*
Que je n'ai jamais reconnus
Pour toi je ne suis pas la même
Toi ce n'est pas pareil
Je t'aime, je t'aime » [2]

Mes cheveux neigeux fondent sur mes yeux
Ma bouche sous un voile champagne
Une odeur de braise se dessine
Mes lèvres s'empourprent
Une sensation se profile dans mon cou
Il est là je suis là

Ses mains frôlent mon dos châtain
Je les laisse balayer mes os
Mon échine rosit de plaisir
Mes joues s'enluminent
Je n'ose pas bouger
Pudeur criante
Ses lèvres me taquinent la nuque
Grand incendiaire
Il irise mon corps de désirs primaires
J'oublie mes cendres
Indispose l'avenir
Je chancelle dans sa volupté caramel
Sur son cœur étale reposent mes plis
J'ambre glorieuse comme un soleil

Léonie monte sur le pont.
Léon a disparu.
Elle rebrousse chemin,
rembarque dans la chaloupe.

En aveugle, elle repart vers l'île.
Tourne, détourne, retourne.
Épuisée, elle s'endort.

Est-ce Mozart
Est-ce Bernstein
Kafka souffre d'insomnie
Dali nettoie son pinceau
Escher se rue dans l'escalier
Garbo éteint la lampe
Nérée se réveille
Beethoven se frotte les yeux
Gala fait son lit
Pénélope cogne des clous

Une nuit ils ont rêvé
De marcher sur une lune ronde
D'une statue de la Liberté
D'arrêter le temps
De poser le pied sur le Triangle
De sauver l'Amérique
De trouver le détroit de Magellan
De libérer les esclaves
De courir sur l'Everest
De voltiger à dos de baleine
Des mains de Sofia
Ils ont aussi rêvé
Que la vie était rose
Que le loup n'était pas méchant
Que c'était tous les jours dimanche
Que tu venais dîner ce soir
Qu'ils étaient Superman
Qu'ils marchaient sur les eaux
Que la distance n'avait plus d'importance
Que le bateau n'avait pas coulé
Qu'ils étaient le bon dieu
Puis ils se sont réveillés

L'aube la surprend en pleine dérive.

Léonie ouvre les yeux,
se croit à l'autre bout du monde.
Elle est à quelques brasses du pont.
Il y a foule là-haut
et des tas de sirènes.
On lui fait signe de s'éloigner.
Mais les eaux la ramènent
vers l'attroupement de canots de sauvetage.
Léonie s'use les mains.
Elle lève la tête.
Léon n'est pas revenu.

Salive et sécheresse
Nerfs maussades
Les yeux fanés
Me suis levée sans appétence
Déjà vaincue

Toute ambition coincée
Se succéder sans lendemain
Exorciser sa fièvre et sa verve
Survivre sans grand mérite
À force de sarcasmes
Se renier

Patrimoine désaccordé
L'usure me frôle à rebrousse-peau
Du revers de la main
Je brocante quelques vieilleries

Mon cœur claudique vers l'avenir

Meublé, fenêtres ouvertes sur la mer
Y compris violoncelle et archet
Souris et feuilles blanches à vendre
Ensoleillé et libre en ce moment

Des jours, des semaines, des mois.

Il n'a pas plu depuis longtemps.
L'herbe a jauni.
Les fleurs sont desséchées.

Léonie porte la même robe depuis on ne sait quand.
Elle la froisse et la défroisse.

Deux mille ans sous les paupières
J'implore les soleils de Van Gogh
Je mangeotte des miettes de miel
Je redore quelques restes
Au goût fauve de feuilles mortes
Aux odeurs de terre de Sienne
De petits soupirs en petits cris
Je me crachote des mots d'amour
Des chuchotis
Je chatouille ma vie
Je mets en échec la silenciaire
La muselée la discrète
Je me raisonne en sourdine
M'abreuve d'échos
M'effleure de rumeurs

À Sorel, une femme ferme la porte
Ouvre la fenêtre en catimini
Se dérobe à la fausse vierge
Crie
Les ondes la rattrapent
Elle s'effondre sur l'asphalte
Ses rêves se confondent
On la ramène à la chambre
Elle en ressort quinze ans plus tard
Quinze ans de délires interrompus
D'asile en asile
S'écrit pour passer le temps
Sort un livre entre les dents
Elle agonise pauvre et célèbre

Cousinage consentant
Je m'habitue aux petits bonheurs
J'aspire une joie
Au seizième de soupir
Me convaincs que je suis
Enfant de l'amour
Murmure *in petto*
Ma certitude fuit toute bruyance
Une ange passe
Je l'entends
Je me voyage

Demain c'est lundi.
Elle pense à Léon.
Il ne reviendra plus.

Je dessine des cercles sur la ligne droite
Étourdie je me repose
Puis recommence
Cercle jaune soleil brillant
Cercle rouge bulle de sang
Je m'amuse
Pouvoir de tourner en rond
Dévier ma vie d'un coup de crayon
Mon corps s'installe dans ma main
Je suis une main
Je me parcours

Cercle blanc flocon d'enfant
Je me déplace aveuglément
Je tournoie sans me perdre
Puis me dépose
Me prends les paumes pleines de moi
Un point
Cercle noir pour le soir
Entouré de lunes blanches
Noyau au centre d'un dessin
D'où coule le jus d'une cerise
Je m'y baigne
L'odeur est forte
Je m'en gave

On dirait qu'il va pleuvoir.

Gourmande
Je me nourris de fabuleux
« Dessine-moi un mouton »[3]
Je lèche
Lèche ma salive
Je disparais
Cercle gris pour l'ennui
Je me dessine en seconde main
Je m'emporte
Je me transporte là d'où je viens
J'attends que le passé tourne le dos

On dirait qu'il va pleuvoir.
On dirait.

Tout le monde s'empresse
de fermer les fenêtres.

Voyez
Le vent sue à grosses gouttes
Les coqs claquent des dents
Les oiseaux tourneboulent
Les colibris rient
Les loups-garous s'inquiètent
Les redoutables prennent la fuite
Les pompiers s'alarment
Les claustrophobes se barricadent
Le père Fouettard sort de l'armoire
Ses petits souliers pendus au cou
Les pleutres ouvrent la marche
Le soir est blanc comme un drap
Ciel ! la pétoche s'affole
C'est angoisseux
Le dos des cheveux dressés sur le front
Même les timides se serrent les fesses
Le ventre blême gonflé d'horreur
Des sueurs froides dans la gorge
Voyez
Ils ont la peur au froc
La Terre est sur ses gardes
Mille millions de tonnerres
C'est épouvantail

Ça sent l'orage.

Bruyance (détail в), Pierrette Lambert

Léonie ouvre la porte et sort.
Sans parapluie.

Que de babillage dans ma tête
Ronde d'étoiles dans mes yeux
Je tue mes meilleurs sentiments
Je n'entends plus parler les dieux
Eux si grands si mystérieux
Que les déesses tendent l'oreille
Qu'elles se lèvent et me défendent

Je veux dégauchir ma parole
Frauder mon imposture
Renverser mon secret
Cet isolement insatiable
Cette solitude clandestine
Qui rehausse mon image

À l'abri de mes altérations
Je m'esquisse une parole
J'entends la foi des cieux

Les mains dans les poches,
elle déambule dans les rues.
Elle s'arrête devant le cimetière.
Les fleurs sont fanées.
Un homme dépose sa bicyclette et se met à l'abri.
Il regarde ailleurs.
Léonie s'empare de la bicyclette.
Elle file entre les éclairs et le tonnerre.

Spectre timide
Je me faufile
Vers l'horizon blafard

Maisons imprécises
Clôtures inutiles
Tournesols en extase
Déroutent mes élans
Éraflent mon regard
Je ferme les yeux sur l'indésirable
Me délave du passé
Chatoie de mon avenir
J'avance sur la fresque et me nuance
De ma gorge terreuse
Je noircis quelques peines
En trop

Elle poursuit les nuages.
Il pleut toujours.
Déjà à des lieues de chez elle.
Devant un autre cimetière,
elle ralentit.
Puis, entre dans un bistro.
On lui offre un, deux, trois verres.
Elle accepte.

Beckett, Artaud, Breton s'énervent
Ils cherchent
Ils misent trop fort
Ils ont soif
À boire qu'on y soit pour quelque chose

D'un appétit d'oiseau
Je mords dans la vie
Je bois
Si petite
Avec un siècle sur le dos
Menu fretin délivrances et chaos
Effrontée je cherche ma place
Vaste est le temps
Minuscule l'espace
Je bois à la démesure

Pour du pain et des roses
Les uns y vont au centime
Les autres décuplent leurs efforts

Pour un coin de terre
Pour un seul dieu qui règne dans les cieux
Les uns fractionnent les territoires
Les autres additionnent leurs morts
Les uns comptent sur les autres
Les autres empilent de l'or

Pour un peu de paix
Pour une bonne conscience
Les uns se soustraient aux reproches
Les autres cumulent les torts
Les uns calculent les erreurs
Les autres s'inquiètent

Pour plus de pouvoir
Les uns divisent les autres
Les autres rallient les restes

Les uns et les autres se retranchent
Et multiplient leurs vaines victoires

Léonie repart à bicyclette,
un peu plus légère.
Arrivée sur la place publique,
elle freine.

Un jour sur l'île
Je me suis vue fossile
Fêlure
Je ravale ma déception

Le vent m'éclabousse
De sable blanc
De poussières tristes
Les siècles passent
Pas les guerres
De territoires et de prières

Je me bats
Je perds
Mon appétit et mon histoire

Sur la place publique,
des enfants jouent.

« Ainsi font, font, font
Les petites marionnettes
Ainsi font, font, font
Trois petits tours et puis s'en vont » [4]

Léonie fait un pas, puis recule.
Les enfants s'avancent vers elle.

Tu ne vaux rien petite vaurienne
Par tes doutes te ferai mienne
Même si pour cela je gruge
Ta vérité dont je me fais juge

Un instant
Juste un instant
Savoir que mes démons pervers
Se nourrissent d'éphémère
Jusqu'à ce que le ciel tourne de l'œil

Bruyance (détail c), Pierrette Lambert

Léonie se dérobe en courant.
Ses jambes ne tiennent plus.
Elle s'écroule sur le pavé.
Il fait sombre.

Jugez jugez ainsi soit-il
Chapeau bas et rond de jambe
Vie de château pour va-nu-pieds
Un million ça change pas l'monde sauf que
Venez à vous enfants de la rue
Il vous tu gâtera de tout son sou
Juste votre chemise en échange
Tu devrais faire un don lui crie-t-on
Il y a plein de gars qui le font
Bon ! il en garde cent
Non neuf cent mille
Pas question de baver des ronds de chapeau
dans l'eau
Qu'est-ce qu'il fait avec tant d'en-veux-tu
dans sa tour d'ivoire
C'est vrai que nous autres on n'ferait pas ça
Tirer la couverture et l'oreille et le taureau
par les cornes
Qu'ils aillent aux fraises !

Il a cent ans, l'aimeront-elles pour son argent ?
Ah pis ! Chacun pour soi et Dieu pour lui

Plus tard, beaucoup plus tard,
deux femmes la ramassent.

Elles l'emmènent dans leur maison.
Ça sent bon.

Cuissot de chevreuil, carpaccio
Crevettes de Matane, feuilleté aux bananes
Cochon de lait, goulache
Même des légumes en crapaudine
Ils parlent bombance
Bernard parle famine
Hector de régime
Solange fait la gueule
On les traite d'avale-tout, de mange-tout
Ils continuent
Ils s'en calent les amygdales
Ne voilent ni leur palais ni leur plaisir
Ne connaissent pas
La boulimie, l'anorexie, les allergies
À voir les autres grignoter du bout des dents
Leur foie se gonfle
Leurs joues se creusent
Colère, envie
Ils trinquent
Rasade de vin dans l'œsophage
À la santé de leur mère bien en chair
Qui s'écriait :
« Mangez, mangez, c'est un plaisir ! »

On lui offre des vêtements.
Elle refuse, défroisse sa robe.

« *Miroir miroir dis-nous qui est la plus belle ?* »
Disent-elles chacune chez elle
Tenue de ville de sport ou de cérémonie
Si elles ne savent pas dans cinq minutes
Elles se pendront dans la penderie
Le calvaire du matin
Mini-jupe et corsage
Ce n'est plus de leur âge
T-shirt et pantalon
Ça fait garçon
Les cheveux ternes et ébouriffés
Ourlets bourrelets et pelures d'orange
Stylistes ayez pitié
Leurs blouses blanches sont au repassage
Leurs tailleurs gris chez le nettoyeur

À qui la faute
Merde elles ont un bouton
Ne peuvent sortir dans cet état
Pauvres elles
Elles se consolent allègrement :
« *Nous ne sommes peut-être pas belles*
Mais nous parlons de George Sand »

Elle refuse, défroisse sa robe
sur son ventre rond.

Cacophonie dans mon ventre rebondi
Tout en chair
Le petit exerce son ouïe
Au froufrou du quotidien
Qui lui parvient *in vitro*
De gargouillement en bruissement
Il apprend à distinguer
Le dehors du dedans
Aura-t-il les yeux de Léon
Il cherche le repos d'un son grave
N'obtient qu'une plainte stridente

Je m'inquiète
Serai-je à la hauteur

Une enfant dans la lune
S'amusait des passants
Les étoiles une à une
Rigolaient en l'écoutant
Les chevaux dans les dunes
Piaffaient en attendant
L'enfant qui sur la lune
Laissait filer le temps
Jusqu'aux journées de brume
Où elle revenait en chantant
Les bras chargés de prunes
Les cheveux dans le vent
Pieds ancrés dans l'écume
Nez pointé au firmament

Léonie monte dans la chambre.

Encore un peu d'huile d'amande sur mon ventre

Elle fixe la pendule,
serre les poings.

Devant les restes de braises
Socrate et Aristophane observent les perséides

—Ah si seulement il avait
La passion de Jeanne d'Arc
La curiosité d'Einstein
Les bras de Louis Cyr
Les mains de Rodin

— Ou encore celles de Coco Chanel

— Et que dire du nez de Cléopâtre

— Ou des rondeurs des trois Grâces

— De l'audace de Pina

— Ou du toupet de Tintin

—J'aimerais mieux les jambes de Marilyn

— Pourquoi pas les lunettes de Nana

— Mais surtout pas la maladresse de Pandore

— Ni la démarche de Charlie

— Que penseriez-vous de la souffrance d'Artaud

— Je préférerais la désinvolture de Nina

— Et moi la voix de Tarzan
et j'y tiens mordicus !

Socrate plisse le front
Aristophane fait un pied de nez
Être ou ne pas être, conviennent-ils

Nue dans la pièce,
Léonie lave les draps
et frotte sa robe.

Entre les bruits et les silences
Tu es là
Enfant
Unique
Tu nais en pleine bastringue
Mille voyelles incertaines
Soupirent sur ta peau

« … Ferme tes jolis yeux
Car tout n'est que mensonge
Le bonheur est un songe
Ferme tes jolis yeux » [5]

Mes mains frôlent ton dos
Ton échine rosit de plaisir
Tes joues s'enluminent
Je n'ose pas bouger
Ambivalence criante
Mes lèvres taquinent ta nuque
J'irise ton corps de désirs primaires
Mes doigts balaient tes os
Tu chois dans la volupté
J'oublie presque mes cendres
Indispose l'avenir
Tu ambres glorieux comme un soleil
Sur ton cœur étale reposent mes plis

Brosse-toi les dents
Fais tes leçons
Brosse-toi
Ne lèche pas tes doigts
Ne ris pas trop fort
Lève-toi

Déjà convenances obligent
Impasse
Je me retire
Je m'enfonce
Destin incontournable
Trafic d'influences
Que je ne sais taire

Il faut
Baiser la main
La présenter
Puis la serrer
Aveuglément rendre ses devoirs
Y prendre plaisir
Faire semblant
Lever son chapeau
Dérouler le tapis
Puis s'écarter courtoisement

Étrangers vous m'habitez
Je parcours votre monde
Devant derrière

Insolence du matin
Tassez-vous
Je me cède le passage
Avant que j'éclate
Déplacez-vous

Je porte votre peur
Dans mon regard
Ma délivrance se fait attendre
Je m'ébroue
Jusqu'à la falaise
Vous vous cramponnez

Détournez-vous
Regardez la vague
Que je vous observe à la dérobée
Que je me soustraie à votre peur
Que j'accueille la mienne
Qu'elle s'installe dans mes jambes
Que mes bras tremblent
Que je ne retienne plus les gouttes du ciel

Bruyance (détail D), Pierrette Lambert

Je saute
Le grand saut
Écartelée d'impuissance
Sans courage
Poing levé
Je hurle au vent
Il fait la sourde oreille

Captive je manque d'horizon

Être autre
Autrement
Faire autre chose
Autrement

Léonie enfile un manteau terre de Sienne.
Elle sort discrètement
et disparaît dans la nuit.

Pour un instant
M'avaler me ravaler
Oublier qui vous êtes qui je suis
Où je vais
Un instant seulement
Une sorte de bonheur
Une chute heureuse
M'amuser à vous abandonner
En secret
Pour un moment
À mille lieues de vous
Loin du passé
De vous de nous
Que je me repose

Que tout soit parfum
Que tout soit grain de sable
Que tout soit

Ce n'est pas trop tôt

La pendule sort de son lit
Ses rêves filent à l'anglaise
Les journées ajournent
Trois deux un retard
Time is money
Du déjà-vu dans les parages
Ah ! On sonne les matines
La patience glisse la clef sous la porte
Les retardataires fuguent vers le sud
Le futur simple recule
Des jours à la fois les mêmes tic tac
Entre chien et loup
La joie s'habille en fille de l'air
Les enfants jouent à l'heure qu'il est
Sans tablier sans sablier
L'heure tourne
Fugit irreparabile tempus

Je m'absente du passé
Je titube à la sortie
De droite à gauche
Du nord au sud
Je m'inclus dehors
Sans bagage
Import export
Me lance d'un souffle
Tant l'avenir est tant et tant
Pardonne au passage
J'aiguille mes désirs
Vrille à bâbord
M'échappe entre des mains
Colis sans timbre
Trois fois passera
Incognito dans une dame-blanche
Délicieux répit
Nulle trace ne restera

Je valse entre les saisons
Du Saint-Laurent au Gange
Du Sahara au mont Blanc
Les frontières expirent dans les rigoles
Je ruisselle
J'écume
Me brise en courant chaud
J'éloigne la mer morte

Des prières d'enfants
V'là l'bon vent qui nage entre deux eaux
Les naïades espèrent de la visite

Je m'inonde d'intempéries
Je m'enneige
Je m'engrange de liberté
M'engorge de crachin ardent
Calcine mes blessures
M'abreuve au fjord fondant
Je laisse les steppes aux loups

Une évidence se love sur mes hanches
J'abonde dans la ronde
Droite et bombée

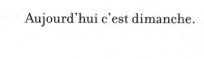

Aujourd'hui c'est dimanche.

BIBLIOGRAPHIE

1 ROSTAND, Edmond. *Cyrano de Bergerac*, Fasquelle Éditeurs, 1930.

2 BARBARA. Extrait de « Toi », *Barbara*, Phonogram SA Paris, 1988.

3 DE SAINT-EXUPÉRY, Antoine. *Le Petit Prince*, Éditions Gallimard, Paris, 1946.

4 BRULEY, Marie-Claire. Extrait de la comptine « Ainsi, font, font, font… », *Enfantines*, Éditions École des Loisirs, 1988.

5 THOMAS, V. et R. DE BUXEUIL. Extrait de « Ferme tes jolis yeux », *Les 100 plus belles chansons*, Éditions musicales La Bonne Chanson, Québec, 1956.

TABLE DES ŒUVRES
DE PIERRETTE LAMBERT

TABLE DES MATIÈRES

Tant l'avenir est tant et tant

est le sixième titre de la collection « Gélivures »
et le trente-neuvième publié par Écrits des Hautes-Terres.

Direction de la collection
Andrée Lacelle

Direction littéraire
Pierre Bernier

Codirection artistique
Laurence Bietlot
Jean-Luc Denat

Composition et mise en pages
Mario L'Écuyer

Conception de la page couverture
et image de marque
Jean-Luc Denat

Achevé d'imprimer en août 2002
sur les presses de l'**Imprimerie Gauvin limitée**
pour la maison d'édition Écrits des Hautes-Terres

ISBN : 2-922404-37-4

Imprimé à Hull (Québec) Canada